尼亚加拉瀑布，加拿大/美国

里约热内卢，巴西

复活节岛，智利

芬兰，哈卡拉伊宁先生的祖国

威尼斯，意大利

中国长城

金字塔

印度泰姬陵

"唔，穿上睡衣，戴上睡帽，我该睡觉了。"哈卡拉伊宁先生自言自语。

"睡前喝一杯热牛奶，更能让我感受到困意。"

"接下来再刷刷牙。"

"安顿好我的玛莎睡下，再上好闹钟……"

"晚安，玛莎，睡个踏实觉吧！"哈卡拉伊宁先生关上了灯。

"能睡个踏实觉才怪呢。"玛莎小声说道，他是哈卡拉伊宁先生忠诚的宠物。

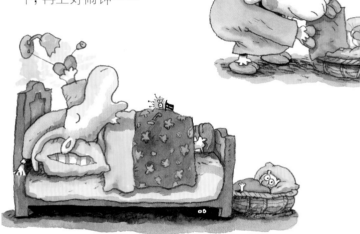

不出玛莎所料，哈卡拉伊宁先生睡着后，果然腾地一下从床上跳了起来，然后沿着爪子村的主大街晃悠悠地往前走。他每晚如此，真不愧是大名鼎鼎的梦游家。

MAURI KUNNAS

哈卡拉伊宁先生

和世界七大奇迹

[芬]毛里·库纳斯　塔尔亚·库纳斯 著

张　蕾译

贵州出版集团公司 ▪ 贵州人民出版社

爪子村最大的百货商场——特特大商场
为了庆祝建店七周年，特意举办了一次盛大的
抽奖活动。头等奖有七份，每一位中头奖的人
都可以选择去世界上的一个地方，那么
这七位幸运者就可以组团去
七个地方旅游
观光。

特特大商场

高级女装

降价7%

终于到了开奖日。
百货商场的总经理布凯力先生面对全村人大声宣布：
"第一位中头奖的是——**哈卡拉伊宁先生**！"
"我的天啊！"哈卡拉伊宁先生喜出望外，"我根本想不起来
我什么时候参加过这次抽奖！"

6

不一会儿，中头奖的七名幸运者就全部揭晓了。

"苏西小姐，祝贺你！"布凯力经理故意大声问
道，"你想去哪里旅行呢？"

"啊，我一直都梦想着能够去巴西的里约热内卢看
桑巴游行！"苏西小姐兴奋得直尖叫。

"现在你的梦想成真了！"布凯力经理笑呵呵地说。

布凯力经理又转过身来问另一位幸运者："那么
您呢，系统工程师维尔达宁先生，您想去哪儿？"

"我要是能去看看中国长城就好了！"

城市规划师艾琳娜小姐
想去埃及看金字塔。

托若帕法官选择
去印度看泰姬陵。

"我想去看尼亚加拉瀑布！"水管工管管也很兴奋。

"我要去意大利的威尼斯！"高中老师拉伊娜喊道。

"那么您呢，哈卡拉伊宁先生，您打算去哪儿旅行？"

"呃……这个嘛，我倒是想去圣诞岛看一看，可是我
又怕圣诞老人。"哈卡拉伊宁先生拿不定主意。

"那么，复活节岛怎么样？"布凯力提议。

"这个嘛，为什么不呢？"哈卡拉伊宁
先生吞吞吐吐地说。这样一来，哈卡
拉伊宁先生也选好了目的地。

临出发的前一天，哈卡拉伊宁先生兴奋得怎么也睡不着。

他妈妈对他说："记得多拍点照片回来啊！

还有，你每天晚上都要记得按时睡觉！"

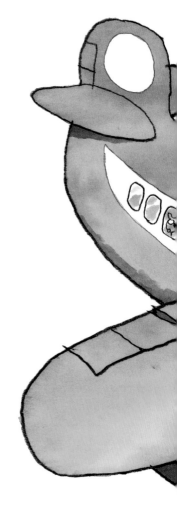

第二天一大早，旅行团的全体成员在机场集合了。

"欢迎各位！"领队伊尔美莉女士向大家致意说，

"这次旅行绝对会成为最让你们难忘的一次旅行！"

"绝对错不了！"豚鼠玛莎很是激动。

哈卡拉伊宁先生一上飞机就犯困，可是还没等他睡着，飞机就到了埃及。

"快看，那就是举世闻名的吉萨金字塔群！"艾琳娜喊道。

"大家从飞机的另一侧可以看到拥有上千万人口的开罗城。"伊尔美莉介绍着。

哈卡拉伊宁先生却"呼——嘘——"地打起了呼噜。

埃及金字塔

"众所周知，金字塔是古代的法老，也就是以前的埃及国王的坟墓。"伊尔美莉开始向大伙儿讲解，"塔高为146米的胡夫金字塔是全埃及最大的金字塔。卡夫拉金字塔仅次于胡夫金字塔，比胡夫金字塔矮了两米。"

"看，法老的脚指甲！"德特尔曼教授喊了起来。他是一位考古学家，他的工作就是寻找埋藏在地下的古代物品。

他自言自语地说："昨天我找到了一截鞋带，还找到了国王用过的牙签。可是为什么我不能像那些伟大的考古学家那样，有些伟大的发现呢？"

哈卡拉伊宁先生和他的同伴们还去了博物馆。

伊尔美莉告诉大家说："那是法老的木乃伊。在古代埃及，人死了之后，人们会用香油和药材处理尸体，防止尸体腐化，再用绷带把它们包裹起来，这样尸体就可以保存上千年了。"

听到这里，哈卡拉伊宁先生后背上的汗毛都竖了起来。

"看来今天晚上又睡不成觉了。"玛莎想。

德特尔曼教授的考古发掘工作遇到了难题。

工人们惴惴不安。有人说："汽车的后轮胎又爆了，每天都这样，我们的营地肯定中了法老的魔咒……"

玛莎的担心并非杞人忧天。

当天晚上，他被洗手间里传来的嘈杂声吵醒。只见哈卡拉伊宁先生站在洗手间里，拿着卷筒纸一个劲地往自己身上裹。

过了一会儿，就看到一个怪物举着双手向月光下的金字塔走去。

是哈卡拉伊宁先生，他径直向德特尔曼教授考古队的营地走去。

"咳，咳，咳……"他一边走一边大声咳嗽。

整个考古队的队员都吓得仓皇逃跑。

"我说什么来着！我们中了法老的魔咒！"队员们一边喊，一边没命地逃跑。

"是木乃伊从坟墓里复活了，他要来要回他的脚指甲！"

身手最快的几位队员冲进卡车，
一脚油门踩到底，向城里奔去。
　　可车刚启动，只听砰的一声响，车
胎又爆了！

这一声巨响惊天动地，把哈卡拉伊宁先生也从梦中震醒了。
　　"奇怪，我这是在哪里呢？"他迷迷糊糊地，摸不着头脑。
　　"呀，原来不是木乃伊啊。"队员们嘿嘿笑了起来，刚才真是虚惊一场。
德特尔曼教授开车把哈卡拉伊宁先生送回了酒店。

　　"到底是什么东西老把轮胎
弄破呢？"在回营地的路上，德特
尔曼教授百思不得其解。

"呀，原来马路中间有一块又小又尖的石头，车胎肯定就是被它扎破的。"德特尔曼教授找到了问题所在，他对手下说，"快拿把铁锹来，让我把它挖走！"

不过这块石头可不是什么小石头。到了第二天早上，德特尔曼教授和他的助手们挖出了一根又大又粗的石柱，确切地说，应该叫方尖碑。

"好大的石碑！"教授欣喜地喊道，"这才是伟大考古学家的伟大发现！"

根据方尖碑上的象形文字记载，这座石碑是由一位叫做"基普苏"的法老立在这里的，但是德特尔曼教授决定把它命名为"哈卡拉伊宁石碑"。

不过哈卡拉伊宁先生并不知道这件事，
因为他已经坐上飞机去下一站——印度了。

印度泰姬陵

托若帕法官告诉大家："泰姬陵是印度莫卧儿王朝的第五代皇帝沙贾汗，为纪念他的皇后而修建的，据说泰姬陵被誉为世界上最美的建筑。"

"瞧，有头牛爬到泰姬陵的顶上去了。那些人怎么才能把它赶下来呀？"贝德笑着说。贝德了解牛，他是一位来自美国德克萨斯州的牧场主。

伊尔美莉小姐说："在印度，牛可以
到处自由活动，丝毫不受限制。"

只听见苏西小姐喊道："快把你的牙
齿从我的包包上移开，你这头蠢牛！"

"这情形，我回去跟我们那儿的人
说，肯定没人相信！"贝德呵呵笑着说。

哈卡拉伊宁先生对牛并
不感兴趣，那些吹笛子的舞
蛇人却让他目不转睛。

旅行团的其他成员决定
去吃饭，哈卡拉伊宁先生却
愿意留在旅游大巴里睡觉。
他早上起得太早啦。

贝德已经乐得直不起腰了。他说："你们见过比这更好笑的吗？那头牛竟然肆无忌惮地抢了舞蛇人的干粮！看来真有必要找几个牛仔到这儿来维持一下秩序。"

突然，熟睡中的哈卡拉伊宁先生从旅游大巴里跑了出来。

"哎呀，糟糕！这下又会出什么大乱子呢？"玛莎想。

哈卡拉伊宁先生冲到舞蛇人身边，抓起一把笛子，吹起了爵士乐。

"哔哔哔，嘀哒嘟，哒嘀嘟……"哈卡拉伊宁先生像上了发条似的吹啊吹啊。

眼镜蛇可从来没听过这么刺激的音乐，它们疯狂地地蹦啊，扭啊，仿佛明天就是世界末日，再也不能跳了。最后所有的眼镜蛇都拧成了一团，动弹不了了。

"嘟咿嘟咿……"哈卡拉伊宁先生却跟没事人一样，吹着竹笛继续往前走。

这下着魔的就不光是眼镜蛇了，满街的牛都迷上了哈卡拉伊宁先生的爵士乐，一直跟着他往前走。

不一会儿，街上就完全乱了套。毕竟，谁都不敢去阻挡那些被视为神物的牛。

最后，玛莎费尽了九牛二虎之力，才把哈卡拉伊宁先生领回酒店，让他接着做梦。可是那天晚上，酒店里其他的客人却遭殃了，根本没法合眼。

哞，哞，嗯! 成群的牛在酒店外此起彼伏地叫了一夜，它们还想让哈卡拉伊宁先生继续给它们吹爵士乐。

到了第二天早上，酒店的院子里还是牛满为患，而且它们一点离开的意思都没有。

"呀，牛把我的帽子吃了!"贝德的媳妇尖叫道，"贝德，你快想想办法啊，你可是真正的牛仔啊!"

20

舞蛇人倒是松了一大口气："总算摆脱那些牛了，至少一时半会儿它们回不来。"

可要分开拧在一起的眼镜蛇，那真是让他们伤透了脑筋。

泰姬陵度假小屋

哈卡拉伊宁先生一觉醒来，根本就不记得夜里发生了什么。他和他的旅伴已经坐上了开往机场的汽车，下一站他们将飞往中国。

中国长城

"大家想想看，中国长城从两千多年前就开始修建了。"伊尔美莉告诉大家，"而且它全长超过了六千公里！"

据说长城旁边有个叫做乒乓村的小村子，村里有一件镇村之宝，那是一个有着五百多年历史的青花瓶，就保存在长城的一座烽火台里，昼夜都有人看守。

"中国真是个神奇的国家！"托若帕法官说，"中国人可真厉害啊，用两根棍子就能吃饭了。"

"可是我的手太笨了，根本拿不了筷子！"哈卡拉伊宁先生沮丧地说。

这天晚上，村里举行了盛大的杂技比赛，来自全国各地的杂技团都赶来参加。

"中国杂技可是举世闻名啊！"系统工程师维尔达宁感叹道。

杂技比赛
精彩绝伦

所有人都集中到广场去观看杂技表演，只有看守青花瓶的守卫和哈卡拉伊宁先生除外。

玛莎睡得最香的时候，突然被一阵声响惊醒。哈卡拉伊宁先生又开始了他每晚的功课。

"耍啊，耍啊，耍啊耍杂技……"他嘴里念念有词，还开始做起了各种高难度动作。

"喂，快回床上去！"玛莎想拦住哈卡拉伊宁先生，可是哈卡拉伊宁先生一旦梦游起来，就谁都拦不住喽。

就在这时，一群来历不明，自称是"狡狡龙"杂技团成员的人偷偷地离开了人群。他们的确是一群身手敏捷的杂技演员，可是他们关心的并不是杂技比赛，而是镇村之宝——青花瓶。

这帮小偷全神贯注地做着他们的勾当，根本就没注意到哈卡拉伊宁先生正全速向他们飞冲而来。

砰！梦游中的哈卡拉伊宁先生不
可避免地和这群小偷撞了个正着。
　　"快来人啊！快接住青花瓶！"
守卫尖叫了起来。

出乎所有人的意料，一位突然冒出来的
参赛者以精湛的技巧结束了这场杂技比赛。

"哈卡拉伊宁先生万岁！哈卡拉伊宁先生万岁！"全体观众异口同声地喊了起来，大家一致认为哈卡拉伊宁先生的表演无人能及。此外，镇村之宝也得以保全，那帮小偷全部落网。

第二天一大早，村民们给哈卡拉伊宁先生送来了青花瓶的微型复制品，以表示感谢，哈卡拉伊宁先生却根本不明白这是怎么回事。

"糟糕，看来我真是天生的笨手笨脚，估计我是永远都学不会用筷子吃饭了。"哈卡拉伊宁先生刚说完，其他人就笑成了一团："怎么会呢，您可是刚刚才获得杂技比赛的头等奖哦！"

威尼斯, 意大利

"威尼斯城建在好多个小岛上,"到了威尼斯,伊尔美莉又给大家做起了介绍,"在威尼斯,船是最好的交通工具,因为这里根本没有汽车。"

哈卡拉伊宁先生又掉队了,他留在广场旁边的咖啡店里打瞌睡。

"放心吧,圣马可广场这么热闹,哈卡拉伊宁先生不可能睡着的。"托若帕法官说。真会是这样吗?

在广场旁边一家顶级品牌时装店里,常在电视节目里出镜的明星大厨富兰切斯科正在挑选羊绒衫。

"穿上我们的羊绒衫,会让您的肩膀和肚子都舒舒服服、暖暖和和的。"店主铆足了劲儿推荐着。

富兰切斯科刚从时装店出来，就和熟睡中的哈卡拉伊宁先生撞了个正着。

"蠢货，你走路都不看前面的吗？"明星大厨没好气地骂道。

坏了，富兰切斯科羊绒衫上的线头正好缠到了哈卡拉伊宁先生的犄角上！

"快把线头解下来，快！"玛莎慌张地说。

"这帮没脑子的游客!"富兰切斯科一边走,一边还在向他的女朋友冬娜抱怨。

哈卡拉伊宁先生一直跟在这位脾气不太好的明星大厨身后。

"别放松,哈卡拉伊宁!我们马上就能追上他们了!"玛莎跑得气喘吁吁。

"我饿了,我们去吃饭吧。"富兰切斯科对他的女朋友说,"不过呢,这座城里除了我之外,再也没人会煮像样的意大利面。"

哈卡拉伊宁先生被毛线拽着，一直跟在明星大厨身后。

突然，毛线被扯到头了。

哈卡拉伊宁先生嘴里念念有词。

同时，富兰切斯科和他的女朋友进了维多瑞欧大饭店。

"哎呀不得了了，富兰切斯科来了！"饭店老板维多瑞欧对手下嘀咕，"他可是我们威尼斯饭店界的噩梦，他上饭店吃饭就没有不抱怨的时候。"

"去，给我来一碗你们这儿最好的意大利面，这回你们可得让面条味道可口点儿！"明星大厨不客气地说。

"是，先生！"维多瑞欧小声说，"我会把我的看家本领都使出来的，先生。"

咦，又发生什么事啦？

"那儿不能去！"玛莎慌忙喊道。

"咕噜咕噜……"哈卡拉伊宁先生的肚子响个不停。

饥肠辘辘的哈卡拉伊宁先生直接跑进了维多瑞欧饭店的厨房。

"哇，好香啊，真像奶奶做的土豆泥！"哈卡拉伊宁先生抽着鼻子闻了又闻。

不到两分钟的工夫，哈卡拉伊宁先生三下五除二就吃光了锅里的意大利面，连一根面条都没剩下，那可是饭店老板专门为富兰切斯科准备的。

吃完后他满意地咂着嘴巴，把手里的毛线团一股脑儿丢进了空空的面锅里。

紧张过度的维多瑞欧老板并没有发现为明星大厨准备的"意大利面"有什么不对劲。

"这面条煮得真软和，就是吃起来有点儿苦！"富兰切斯科吃完满意地点点头。

"祝贺你们！我从来都没吃过这么好吃的意大利面，就跟我自己煮的一样好吃！"

"好冷啊！"在回去的路上，他的女朋友冬娜冷得直哆嗦，"你刚买的羊绒衫就不见了，真可惜！"

富兰切斯科倒是一点儿也不冷。相反，他觉得肚子里热得邪乎，不过这又有什么奇怪的呢？

要知道，他刚刚把整件羊绒衫都吃进了肚子里！

里约热内卢，巴西

"这里的风景真是太美了！"伊尔美莉站在举世闻名的里约热内卢基督像脚下，大声喊道，"这座城市真是太棒了！"

"更棒的还在后头呢，今晚我们要去参加桑巴游行！"苏西小姐兴冲冲地说。

星座酒吧

旅行团成员决定在参加晚上的桑巴游行之前，先去著名的科巴卡瓦那海滩看看。

"巴西人是世界上最棒的足球民族，"哈卡拉伊宁先生说，"要是我踢足球也能踢得跟他们一样棒就好了！"

到海水里游完泳后，哈卡拉伊宁先生懒洋洋地趴在海滩上晒太阳。

"算算时差的话，家里现在已经是睡觉的时间了。"他喃喃地说着，不由自主地合上了眼皮。

防晒 美黑霜 28

防晒 37 隔离霜

艾尔维拉小姐和她的伙伴们每年都去参加桑巴游行，而且她们每年都住在同一家酒店，恰好就是哈卡拉伊宁先生和他的旅伴们入住的酒店。

可是现在，艾尔维拉小姐遇到了麻烦。

"我不能去参加桑巴游行了！"她哭嚷着，"我把我的桑巴舞服忘在家里了！"

那是多么漂亮的舞服啊！整整一个月的时间里，艾尔维拉每天晚上都往她的桑巴舞服上缝闪闪发光的水晶亮片。只要穿上它，艾尔维拉肯定能成为整个桑巴游行的皇后。

就在这时，在海滩上打盹儿的哈卡拉伊宁先生突然蹭地一下跳了起来，还抢到了一个足球。自然，他还在熟睡中。

"好了，这下他把自己当成足球明星了！"玛莎说。

哈卡拉伊宁先生边走边带球，巧妙地躲闪着迎面走来的人。

"喂，朋友！站住！"交通警察追在他后面大喊。

可是哈卡拉伊宁先生却继续往前冲，一边跑一边嘟囔着："卡卡、贝利、卡福。"

哈卡拉伊宁先生带球一直带到了酒店。在那里他撞上了一个有力的对手——墙。

"裁判！红牌！点球！点球！"哈卡拉伊宁先生强烈抗议。

他把足球放在罚球点上，退后了一小段，起跑，加速，然后忽地一脚，皮球嗖地飞出，笔直砸向酒店大堂的水晶吊灯。

水晶吊灯砸在了艾尔维拉小姐的身上。

"哇，这条桑巴舞裙实在是太炫了！"她的同伴们
异口同声地赞道。

"这比我忘在家里的舞裙还要美，还要亮！"
艾尔维拉仔细欣赏着从天而降的新舞裙。

嘈杂声把哈卡拉伊宁先生给吵醒了。

"你今晚和我们一起去跳桑巴舞吧！"姑娘们一起邀请他，
"我们跳它一整夜！"

"多谢了，不过我明天还有很多事。我们明天会飞往复活节
岛，"哈卡拉伊宁先生推辞说，"我得早点睡觉。"

他真的会老老实实地睡觉吗？

在游行队伍里，艾尔维拉小姐的舞裙引起一片赞叹声。她自然而然地成为了桑巴游行的皇后。

"嘀可，嘀可，依帕内玛的姑娘……"一个熟悉的声音在唱小调，是哈卡拉伊宁先生！"别担心，玛莎，我们肯定能准时赶到机场的。"拉伊娜安慰玛莎说。

复活节岛，智利

"这座岛为什么会被称为复活节岛呢？"哈卡拉伊宁先生问。

"因为它由荷兰航海家洛加文首次发现，而他到达的时间正好是1722年的复活节那天。"布隆斯小姐解释说。

"从那时候起，这座岛上那数百座长耳朵巨人石像就让科学家们费尽了脑汁。"艾琳娜接着说。

"这些石头人一个个都板着脸啊。"哈卡拉伊宁先生说。

"是啊，要是哪天他们能对我笑一下，那就是给我最好的报酬了。"岛上的管理员汗溜溜一边清除石头人头顶上的鸟窝，一边说。

管理员汗溜溜任务重大，他必须看管岛上这些价值连城的巨人石像。

"到明天为止，我做这份工作就做了整整30年了，"汗溜溜想，"不过估计没有人会记得。"

岛上热闹极了，太平洋地区的钩手指游戏大赛正在热火朝天地进行着，旅馆里住满了各个代表队的粉丝团。

"哈，哈，哈，诺鲁岛是最棒的！"诺鲁岛的拉拉队员喊道。

"圣诞节岛的手指粗壮得就像教堂的门把手！"圣诞节岛代表队喊道。

"我看我连想都不要想了，"汗溜溜低声说，"谁会记得我这个小小管理员的纪念日呢？他们现在有更重要的事情要去想。"

诺鲁岛加油！

哈卡拉伊宁先生在吵嚷声中悄悄离开,美美地睡了一大觉。就在众粉丝入睡之后,我们的梦游家又开始出去活动了。

"微笑的嘴唇会有人亲吻,微笑的嘴唇引人注目。"他一边走,一边哼着。

"你拿那么多围巾要到哪里去啊?"玛莎急了。

第二天，全村的人都惊呆了，那些石头巨人居然冲大家微笑了起来！

"大家快看啊，它们也想和我们一起向汗溜溜道贺！"市长惊讶地说。

"你肯定以为我们忘记了你的纪念日吧？其实我们真的不会忘记的！"

汗溜溜收到的礼物是一把大大的银汤匙，还有一个大大的蛋糕。

尼亚加拉瀑布，加拿大／美国

"这瀑布吸引的游人可真多啊！"管道工管管站在尼亚加拉瀑布前感叹道。
伊尔美莉介绍起来："尼亚加拉的三条瀑布中，马蹄瀑布比眼前这个瀑布还大，在加拿大这一边。比这个小的叫做新娘面纱瀑布，在美国那一边。"

"据说尼亚加拉瀑布是美国最受欢迎的蜜月旅行目的地。"苏西小姐说。

旅行团成员决定坐船去看一看瀑布。

"听说有人曾经坐在木桶里，从瀑布上面冲下来。"拉伊娜说。

"不会吧！"托若帕法官吓得连忙说，"我只要一看到那些水花，就吓得腿发软了！"

哈卡拉伊宁先生回酒店休息去了，其他人留下来继续看瀑布，逛市区。

酒店里来了一大群房客：是佩尔金斯夫妇带着他们的儿女和孙子孙女来这儿庆祝他们的金婚纪念日啦。

大酒店
尼亚加拉

尼亚加拉饭店

客满
无空房

游泳池
600个电视频道
热水浴池

酒店办公室

小佩尔金斯说："我给全家订了尼亚加拉大酒店的房间，因为当年爸爸妈妈度蜜月的时候就住在这家酒店。"

"对，是这家酒店没错。"佩尔金斯爷爷说，"至少它的外表看上去还和当年一样。"

可是酒店的内部装潢却完全不一样了。

"70年代的时候，我爷爷把酒店重新装修了一遍，"酒店老板解释说，"旧东西全被清理走了。"

晚上，佩尔金斯全家都坐在酒店的餐厅里用晚餐。

"你还记得吗，爷爷，当年我们在这里跳舞一直跳到午夜。"佩尔金斯奶奶回忆说，"那天放的音乐都是猫王和当年那些大明星的曲子。"

尼亚加拉瀑布隆隆的水声一直传到了熟睡中的哈卡拉伊宁先生耳朵里。

"呃，咳咳，普哩普噜……"哈卡拉伊宁先生嘴里念着，悄悄地向酒店的走廊走去，他还在放清洁用具的柜子里找到了一个大水桶。

"他不会是做梦梦见自己坐在水桶里，从尼亚加拉瀑布上冲下去吧？"玛莎无奈地说。

只见哈卡拉伊宁先生把自己塞进水桶里，开始往下冲。好在他并不是顺着瀑布往下冲，而是顺着酒店的楼梯往下滚。

哈卡拉伊宁先生叮隆当啷地从三楼滚到二楼，又从二楼滚到一楼，最后滚出了大门，一直滚到了废旧的车库里。

只听见车库角落里传来几声咕隆咕隆的声音，好像是什么机器被启动了。

突然，年老的佩尔金斯夫妇听到了他们熟悉的旋律："一，二，三点钟，四点钟，摇滚起来。"

"你听见了吗，贝蒂？这是咱们的歌！"佩尔金斯爷爷说。

爷爷奶奶一起冲出酒店。歌声是从车库里传出来的。

"快看啊，这就是当年那台点唱机。结婚那晚，我们一直伴着它的旋律跳舞来着。"爷爷喊道，"就连里面的唱片都跟当年一模一样！"

"这台点唱机确实一直在我们店里，"酒店老板说，"不过装修之后，它就被遗忘在这里了。"

　　那天晚上，音乐声盖过了尼亚加拉瀑布的水声，佩尔金斯爷爷奶奶
在50年代摇滚乐曲的伴奏下，跳起了动人的舞步。
　　"今晚我们摇滚，摇滚，从夜晚到天明……"点唱机歌声震天。
　　佩尔金斯一家老小尽情地跳啊跳啊。
　　跟他们跳得一样尽兴的，当然还有哈卡拉伊宁先生。

"再见了，尼亚加拉瀑布！"苏西小姐恋恋不舍地说，"我们该回家了。"

最后，旅行团成员带着一身疲倦，心满意足地回到了自己的国家。

"这是哈卡拉伊宁先生的行李箱，可是他人呢？"拉伊娜问。

"这真是一次愉快的旅行啊，"水管工管管说，"不过回家的感觉也很好。"其他人都有和他同样的感受。

最开心的还是豚鼠玛莎，哈卡拉伊宁先生终于又安全地回到了家里。这下到了夜晚，玛莎可以踏踏实实地睡个好觉了吧。

可玛莎真能睡个好觉吗？

图书在版编目（CIP）数据

哈卡拉伊宁先生和七大世界奇迹 /（芬）库纳斯（Kunnas, M.），（芬）库纳斯（Kunnas, T.）著：张蕾译 .
— 贵阳：贵州人民出版社，2011.6
（库纳斯金色童书·第2辑）
ISBN 978-7-221-09519-0

Ⅰ．①哈… Ⅱ．①库… ②库… ③张… Ⅲ．①图画故事—芬兰—现代 Ⅳ．① I531.85

中国版本图书馆 CIP 数据核字 (2011) 第 098546 号

库纳斯金色童书·第2辑

哈卡拉伊宁先生和世界七大奇迹

文\图 /［芬］毛里·库纳斯　［芬］塔尔亚·库纳斯

翻译 / 张　蕾

策划 / 远流经典

执行策划 / 颜小鹂

责任编辑 / 苏　桦　张丽娜

美术编辑 / 王　晓

出版发行 / 贵州出版集团公司　贵州人民出版社

地址 / 贵阳市中华北路289号　电话 / 010-85805785（编辑部）

印刷 / 北京市雅迪彩色印刷有限公司　电话 / 010-85381643-800

版次 / 2012年4月第一版　印次 / 2012年4月第一次印刷

成品尺寸 / 215mm×274mm　印张 / 10.25　定价 / 56.00元（全四册）

蒲公英童书馆 / www.poogoyo.com